Cosas que me gustan de
Jugar

Trace Moroney

Me gusta mucho jugar
y estas son las cosas
que más me gusta hacer
cuando juego:

trepar a los árboles,

modelar figuras

y hacer trucos de magia.

¡abracadabra!

Me gusta mucho jugar a disfrazarme.
Puedo ser quien yo quiera:

un feroz dragón,

o un rey que gobierna el mundo,

o un hada que
puede hacer realidad cualquier deseo.

Me divierto mucho jugando solo,
pero **me gusta mucho**
jugar con mis amigos.

Nos gusta jugar en el parque,
donde se pueden hacer muchas cosas.

Y nos gusta jugar en la nieve,
hasta que nuestras mejillas se ponen rojas
y nuestros labios se ponen morados.

Pero nuestro juego favorito
es el del escondite cuando es de noche.

Busco con mi linterna hasta que su luz
ilumina a algún amigo que está escondido
y grito:
—¡Te encontré!

Y nos reímos sin parar.

También me gusta mucho jugar con mi familia.

Papá se convierte en un tigre que me persigue
y me hace cosquillas
hasta que me duele la tripa de tanto reír.

Vamos juntos a pasear en bicicleta.

Otras veces jugamos a las cartas,
al juego de la oca, al dominó o al parchís.

Jugar con papá y mamá es muy divertido.

Jugar solo,
con amigos o con mi familia,
hace que me sienta
contento y querido.

¡**Me gusta** jugar!

NOTA PARA LOS PADRES

La colección **Cosas que me gustan de** muestra ejemplos sencillos de situaciones cotidianas de los niños para, a partir de ellos, generar un pensamiento positivo.

Tener una actitud positiva es, simplemente, ser optimista por naturaleza y mantener un buen estado de ánimo. Pero ser positivo no significa no ser realista. Las personas positivas reconocen que las cosas malas pueden ocurrir tanto a personas optimistas como pesimistas; sin embargo, las personas positivas buscan siempre la mejor manera posible de resolver problemas.

Los investigadores de la psicología positiva han comprobado que las personas con actitud positiva son más creativas, tolerantes, generosas, constructivas y abiertas a nuevas ideas y experiencias que aquellas con una actitud negativa. Las personas positivas tienen relaciones personales más satisfactorias y una mayor capacidad para el amor y la alegría. Además, son más alegres, sanas y longevas.

En este libro he usado muchas veces la palabra *gustar*, ya que es una palabra simple pero poderosa que se usa para enfatizar nuestro pensamiento positivo sobre las personas, cosas, situaciones y experiencias. Creo que es la palabra que mejor describe el *sentimiento* de vivir de manera optimista y positiva.

JUGAR

Al jugar, los niños adquieren y desarrollan habilidades sociales en un entorno divertido y seguro. Aprenden a negociar, cooperar, hacer amigos y resolver conflictos. Los beneficios del juego incluyen el desarrollo de la imaginación, el aumento de la autoestima, el enriquecimiento del lenguaje y de la comunicación, un aumento del sentido del control y la oportunidad de expresarse tal y como son.

Al jugar, el niño desarrolla nuevas maneras de pensar y de resolver problemas para superar retos físicos y mentales, y potencia su desarrollo físico al reforzar el equilibrio, la fuerza, la coordinación y la psicomotricidad. Por todo ello, jugar sirve también para paliar la ansiedad.

El juego y la diversión que este conlleva hacen que riamos más, lo que de por sí es un gran beneficio para la salud.

Trace Moroney

♥

Trace Moroney es una autora e ilustradora de éxito internacional.
Se han vendido más de tres millones de ejemplares de sus libros,
traducidos a quince idiomas.

Título original: *The Things I Love about Playtime*
Primera edición: mayo de 2011
Dirección editorial: María Castillo
Coordinación editorial: Teresa Tellechea
Traducción del inglés: Teresa Tellechea
Publicado por primera vez en 2009 por The Five Mile Press Pty Ltd
1 Centre Road, Victoria 3179, Australia
© del texto y de las ilustraciones: Trace Moroney, 2009
The Five Mile Press Pty Ltd, 2009
© Ediciones SM, 2011
Impresores, 2 - Urbanización Prado del Espino
28660 Boadilla del Monte (Madrid)
www.grupo-sm.com

Atención al Cliente
Tel.: 902 121 323
Fax: 902 241 222
clientes@grupo-sm.com

ISBN: 978-84-675-4506-7
Impreso en China / *Printed in China*